*Ariel Dorfman*

# LA MUERTE Y LA DONCELLA

ARIEL DORFMAN

# LA MUERTE Y LA DONCELLA

SEIX BARRAL MÉXICO

Colección: SEIX BARRAL MÉXICO

*Consejo editorial:* Homero Gayosso A., Jaime Aljure B.,
Sandro Cohen y Andrés Ramírez

Derechos Exclusivos para México

© 1995, Ariel Dorfman
© 1995, Ollero & Ramos, Editores, S.L. (España)
© 1995, Seix Barral, S.A. (México)
Grupo Editorial Planeta de México
Avenida Insurgentes Sur núm. 1162
Col. Del Valle
Deleg. Benito Juárez, 03100
México, D.F.

ISBN: 968-6941-07-X

Primera edición (México): junio de 1995

Impreso y hecho en México—*Printed and made in Mexico*

Impreso en los talleres de
Impresos y Acabados Marbeth, S.A.
Privada de Álamo Núm. 35
Col. Arenal
México, D.F.

Junio de 1995

*Esta obra es para Harold Pinter y*
*María Elene Duvauchelle*

## Personajes

Paulina Salas, una mujer de unos cuarenta años.
Gerardo Escobar, un abogado de unos cuarenta y tantos años.
Roberto Miranda, un médico de unos cincuenta años.

El tiempo es el presente; y el lugar, un país que es probablemente Chile, aunque puede tratarse de cualquier país que acaba de salir de una dictadura.

PRIMER ACTO

ESCENA 1

*Ruido del mar.*
*Es de noche.*
*El salón-comedor de la casa de playa de los Escobar, con una mesa puesta para una cena para dos. Hay por lo menos tres sillas, un casete, una lámpara. Afuera, una terraza frente al mar comunicada con el salón por medio de ventanales. Hay una puerta desde la terraza que conduce a un dormitorio. En la terraza se encuentra sentada Paulina Salas, como si estuviera bebiéndose la luz de la luna. Se escucha el ruido de un auto a lo lejos. Ella se levanta, va hasta el salón, mira por la ventana, retrocede, busca algo, y cuando se ilumina la pieza con focos de luces del auto que se avecina se ve que ella tiene en sus manos un revólver. El auto frena con el motor todavía en marcha, las luces sobre ella. Sonido de una puerta de auto que se abre y se cierra.*

11

## VOZ DE GERARDO (OFF)

¿Seguro que no quieres entrar? Un traguito, siquiera... Entonces nos juntamos antes de que yo me vaya... el lunes tengo que estar de vuelta... ¿Te parece el domingo?... Mi mujer hace un piscosour que es de miedo... Oye, no sabes cuánto te lo agradezco... Así que hasta el domingo. *(Se ríe)*

*(Paulina esconde el revólver. Se esconde detrás de las cortinas. El auto parte y queda el escenario iluminado sólo por la luz de la luna. Entra Gerardo)*

## GERARDO

¿Paulina? ¿Mi hijita? Que está oscuro esto... *(Ve a Paulina escondida. Enciende una lámpara.)*
¿Pero qué haces allí, Paulineta linda, mi gatita amorosa? Perdona que haya tardado tanto en... Yo...

## PAULINA
*(tratando de no parecer alterada)*

¿Quién era?

## GERARDO

Lo que pasa...

## PAULINA

¿Quién te trajo?

## GERARDO

...es que tuve un... no, no te preocupes, si no fue accidente, lo que pasa es que el auto... —por suerte un tipo me paró— se me pinchó un neumático. Oye, que está lúgubre esto. *(Prende otra lámpara. Ve la mesa puesta.)* Pobrecita. Debe haberse enfriado, ¿no?, la...

### PAULINA
*(muy calmada, hasta el final de la escena)*
Se calienta. Siempre que tengamos algo que celebrar, ¿no? *(Pausa).* ¿Tienes algo que celebrar, Gerardo?

### GERARDO
Eso depende de ti. *(Pausa larga. Saca un clavo enorme de su bolsillo)* ¿Sabes lo que es esto? El clavo hijo de puta que me pinchó el neumático. ¿Y sabes lo que pasa cuando a uno se le pincha...? Se cambia el neumático. Se cambia, siempre que haya uno de repuesto, ¿no? Siempre que la mujer se haya acordado de arreglar el de repuesto, ¿no?

### PAULINA
La mujer. Siempre la mujer. Arreglarlo te toca a ti.

### GERARDO
Perdóname, mi amor, pero habíamos quedado que...

### PAULINA
Te toca a ti. Yo me ocupo de la casa y tú puedes ocuparte alguna vez del...

### GERARDO
No quieres tener una empleada, pero después...

PAULINA

...auto por lo menos.

GERARDO

...después te quejas...

PAULINA

Yo jamás me quejo.

GERADO

Esta es una discusión absurda. ¿Por qué estamos peleando? Ya me olvidé de qué...

PAULINA

No estamos peleando, mi amor. Me acusaste de no arreglar tu neumático.

GERARDO

¿Mi neumático?.

PAULINA

...y yo te dije con toda dulzura que...

GERARDO

Un momento. Aclaremos este asunto de una vez. Que no arreglaste el neumático, nuestro neumático, pase, pero hay otro pequeño asunto que aclarar. El gato.

PAULINA

¿Qué gato?

GERARDO

En efecto. ¿Qué gato? ¿Qué hiciste con mi gato? Porque tampoco estaba...

14

PAULINA

¿Tu gato? Tu gato está aquí, mi amor...

GERARDO

¿Mi gato?

PAULINA

Tu gatito.
*(Gerardo se ríe, la toma en brazos, la besa)*

GERARDO

Ahora dime: ¡el gato del auto¡ ¿Qué hiciste con...?

PAULINA

Se lo presté a mi mamá.

GERARDO *(soltándola)*

¿A tu madre? ¿Se lo prestaste a tu madre?

PAULINA

A mi mamá, sí.

GERARDO

¿Y se puede saber por qué?

PAULINA

Se puede. Porque le hacía falta.

GERARDO

Mientras que a mí, claro, a nosotros supongo que no nos... No se puede... mi amor, no puedes hacer eso.

PAULINA

Mamá se iba de viaje al Sur y verdaderamente lo necesitaba, mientras que tú...

GERARDO

Mientras que yo me jodo.

PAULINA

No.

GERARDO

Sí. Recibo un telegrama y me tengo que ir de urgencia a la capital para ver al Presidente en lo que es la reunión más importante de mi vida y...

PAULINA

¿Y...?

GERARDO

Y se me mete un clavo hijo de puta; por suerte no fue a la ida que se me clavó el hijo de..., y ahí me quedé sin repuesto y sin gato en la carretera... Paulina, yo no sé si tu linda cabeza puede darse cuenta de que...

PAULINA

Mi linda cabeza sabía que ibas a encontrar alguien que te ayudara. ¿Era buena moza, por lo menos? ¿Sexy?

GERARDO

Ya te dije que era un hombre.

### PAULINA

No me dijiste nada por el estilo.

### GERARDO

¿Por qué siempre tienes que suponer que va a haber una mujer que...?

### PAULINA

¿Por qué será, no? *(Breve pausa)* ¿Simpático? ¿El tipo que te...?

### GERARDO

Simpatiquísimo. Por suerte me...

### PAULINA

¿Ves? No sé cómo te las arreglas, pero siempre te las arreglas para que todo te salga bien... Mientras que mamá, seguro que si tiene una avería...

### GERARDO

No sabes cuánta alegría me da pensar en tu madre explorando el Sur libre de preocupaciones, mientras yo me tuve que chupar horas...

### PAULINA

Exageraciones sí que no...

### GERARDO

Cuarenta y cinco minutos. Por reloj. Pasaban los autos como si no me vieran. Cuando la gente parte a la playa por el fin de semana es como si perdiera todo sentido cívico de... Empecé a mover los brazos como molino de viento a ver si con eso... igual no me paró ni un alma. Se nos ha olvidado lo que es la solidaridad en este país, eso es lo que pasa. Por suerte, este señor —Roberto Miranda, se llama— lo invité a que se tomara un...

PAULINA

Te escuché.

GERARDO

El domingo, ¿te parece?

PAULINA

Bueno. *(Pausa)*

GERARDO

Como nos volvemos el lunes. Me vuelvo. Y si tú quieres acompañarme, acortar estas vacaciones...

PAULINA

Así que te nombraron, ¿eh?
*(Breve pausa)*

GERARDO

Sí.

PAULINA

La culminación de tu carrera.

GERARDO

No la llamaría culminación. después de todo soy el más joven de los nombrados, ¿no?

18

PAULINA

Cuando seas Ministro de Justicia, sería la culminación, ¿eh?

GERARDO

Eso sí que no depende de mí.

PAULINA

¿Se lo dijiste a él?

GERARDO

¿A quién?

PAULINA

A tu... buen Samaritano.

GERARDO

¿A...? Pero si no lo conozco. Es la primera vez en mi... Además, todavía no decidí si voy a...

PAULINA

Ya decidiste.

GERARDO

Dije que le contestaría mañana, que me sentía extraordinariamente honrado pero que necesitaba...

PAULINA

¿Al Presidente?

GERARDO

Al Presidente. Que lo tenía que pensar.

PAULINA

No veo qué tienes que pensar. Ya lo decidiste, Gerardo, sabes que lo decidiste, es para esto que llevas años trabajando, por qué te haces el que...

GERARDO

Porque primero tengo que... tú tienes que decirme que sí.

PAULINA

Entonces: sí.

GERARDO

No es el sí que necesito.

PAULINA

Es el único sí que tengo.

GERARDO

Yo te he escuchado otros. *(Breve pausa)* En el caso de que acepte, tengo que saber que cuento contigo, que no sientes que esto puede crearte ningún tipo de... no sé, podría ser duro para ti tener que... Una recaída tuya me dejaría...

PAULINA

Vulnerable. Paralizado. Tendrías que cuidarme de nuevo, ¿no?

GERARDO

No seas injusta. *(Pausa breve)* ¿Me criticas que te cuidé, que te voy a seguir cuidando...?

20

PAULINA

Y le dijiste eso al Presidente, que tu mujer podría tener problemas con...

*(Pausa)*

GERARDO

El no sabe. Nadie sabe. Ni tu mujer sabe.

PAULINA

Hay gente que sabe.

GERARDO

No me refiero a ese tipo de gente. Nadie en el nuevo
gobierno sabe. Me refiero a que no es público, como
nunca hiciste... nunca hicimos una denuncia...

PAULINA

Sólo casos de muerte, ¿no?

GERARDO

No entiendo, Paulina.

PAULINA

La Comisión. Sólo se ocupa de casos de muerte.

GERARDO

La Comisión investiga casos de muerte o con presun-
ción de muerte.

PAULINA

Sólo casos graves.

GERARDO

Se supone que esclareciendo lo más terrible, se echa luz sobre...

PAULINA

Sólo casos graves.

GERARDO

Digamos los casos... digamos, irreparables.

PAULINA *(lentamente)*

Irreparables.

GERARDO

A mí no me gusta hablar de esto, Paulina.

PAULINA

A mí tampoco.

GERARDO

Pero tendremos que hablar, ¿no? Voy a pasarme meses recogiendo testimonios que... Y cada vez que vuelva a casa..., yo te voy a... supongo que tú querrás que yo te cuente... y si tú no lo puedes tolerar, si tú... si tú... *(La toma en brazos)*. Si supieras lo que te quiero. Si supieras cómo todavía me duele.*(Breve pausa)*

PAULINA *(sin soltarse, ferozmente)*

Sí. Sí. Sí. ¿Ese es el sí que quieres?

GERARDO

Es el sí que quiero.

PAULINA

Necesitamos que se establezca toda la verdad. Prométeme que...

GERARDO

Toda: Toda la que se pueda... comprobar. *(Pausa)* Estamos...

PAULINA

Atados.

GERARDO

Limitados, digamos. Pero dentro de esos límites es bastante lo que se puede... Publicaremos los resultados. Un libro oficial en el que quede para siempre establecido lo que pasó, para que nadie pueda negarlo, para que nunca más nuestro país conozca excesos como...

PAULINA

¿Y después? *(Gerardo no responde)* Escuchas a las parientes de las víctimas, denuncias los crímenes, ¿qué pasa con los criminales?

GERARDO

Traspasamos lo averiguado a los tribunales de justicia para que ellos dispongan si corresponde o no...

PAULINA

¿Los tribunales? ¿De justicia? ¿Los mismos tribunales que jamás intervinieron para salvar una vida en diecisiete años de dictadura? ¿Vas a entregarle tu informe

al Juez Peralta? ¿el que le dijo a esa pobre mujer que dejara de molestarlo, que su marido no estaba desaparecido sino que se había ido con alguien más joven y atractiva? ¿Tribunales de justicia? ¿De justicia?
*(Paulina empieza a reírse suavemente pero con una cierta histeria subterránea.)*

GERARDO

Paulina. Paulina, basta. Paulina. *(El la toma en sus brazos. Ella se va calmando)* Tontita. Tontita linda, mi gata. *(Breve pausa)* ¿Y qué hubiera pasado si la avería la tienes tú? Tú ahí en el camino con los autos pasando, las luces pasando como un grito, sin que nadie te... Has pensado qué te podría haber...

PAULINA

Alguien me hubiera parado. Probablemente el mismo. ¿Miranda?

GERARDO

Más que probable. En eso se pasa... rescatando huérfanos y amparando doncellas.

PAULINA

¿Como tú?

GERARDO

Almas gemelas.

PAULINA

Debe ser simpático entonces.

GERARDO

Muy buena gente. Si no es por él... Lo invité para el domingo. ¿Te parece?

PAULINA

Bueno. Tuve miedo. Escuché un auto y no era el tuyo.

GERARDO

Pero no había peligro.

PAULINA

No. *(Pausa breve)*. Gerardo. Ya le dijiste que sí al Presidente, ¿no es cierto? La verdad, Gerardo. ¿O vas a comenzar tu labor en la Comisión con una mentira?

GERARDO

No quería hacerte daño.

PAULINA

Le dijiste que aceptabas, al Presidente. ¿No? ¿Antes de consultarme? *(Pausa breve)*

GERARDO

Sí. Ya dije que sí. Antes de consultarte. *(Bajan las luces)*

ESCENA 2

*Una hora más tarde. Nadie en escena. Sigue, más débil, la luz de la luna. Se escucha el ruido de un auto que se aproxima. Luego los focos iluminan el salón, se apagan, se abre y cierra una puerta de automóvil. Suenen golpes en la puerta, primero tímidos, después más fuertes.*
*Una lámpara se enciende en off, desde el dormitorio de los Escobar, y se apaga enseguida. Se escucha la voz de Gerardo en off.*

GERARDO

Tranquila, Pau, tranquila. Nadie va a venir a... *(Suenan los golpes, aún más fuertes)* No tengo por qué... Está bien, amor, está bien, me voy a la ciudad, ¿ya?
*(Entra Gerardo, en pijama. Enciende una lámpara)*

GERARDO

Ya voy, ya voy. *(Va hasta la puerta y la abre. Afuera está Roberto Miranda)* Ah, eres tú.

ROBERTO

Me tienes que perdonar esta... Es que pensé que todavía estarías en pie celebrando.

GERARDO

Adelante, por favor. *(Roberto entra a la casa)* Lo que
pasa es que uno todavía no se acostumbra.

ROBERTO

¿Acostumbrarse?

GERARDO

A la democracia. Que llamen a tu puerta a la media-
noche y sea un amigo y no...
*(Paulina sale a la terraza y se pone a escuchar. Los hom-
bres no pueden verla)*

ROBERTO

Y no estos hijos de puta, ¿no?

GERARDO

Y mi mujer... está algo nerviosa y... Entenderás entonces que... tendrás que perdonarla si ella no viene
a... Y si bajáramos la voz...

ROBERTO

Pero faltaba más, si yo...

GERARDO

Siéntate, por favor, toma asiento.

## ROBERTO

Si vine sólo de paso, para... Pero sólo un minuto, sabes. Pero te preguntarás a qué se debe esta intempestiva... Cuando iba casa, no sé si te acuerdas que tenía la radio encendida, te acuerdas que...

## GERARDO

Pero te sirves un traguito, ¿no? No te puedo ofrecer el famoso pisco sour que hace mi mujer... Pero yo tengo un cognac que traje de un viaje y que...
*(Paulina se acerca, escondida, para escuchar mejor)*

## ROBERTO

No, muchas gracias, yo... Bueno, un poco, eso sí. Así que tenía la radio encendida y... me quedé de una pieza, de repente tu nombre en el noticiario, la nómina de miembros de la Comisión Investigadora Presidencial, y dicen don Gerardo Escobar, y me dije ese nombre me suena, pero dónde, quién, me quedó dando vueltas, y al llegar a casa me di cuenta de quién se trataba y junto con eso me acordé de que yo me había quedado con tu neumático de repuesto en el maletero de mi auto y que mañana ibas a tener que ponerle un parche y... Bueno, la verdad, la verdad es que... ¿quieres saber la verdad?

## GERARDO

Me encantaría saber la verdad.

ROBERTO

Pensé: tan importante lo que va a hacer este hombre, lo que este hombre hace por el país... para que este país se reconcilie, para que se acaben las divisiones y los odios del pasado. Vas a tener que recorrer todo el país recogiendo testimonios, ¿no?

GERARDO

Cierto, cierto, pero no es para...

ROBERTO

Y me dije este hombre lo hace por nosotros, por mí, por todos, sacrificarse así... Y lo menos que yo puedo hacer es ir a dejarle el neumático porque a esta punta no llega ni Cristo y que no tenga él que perder el tiempo, pensé, que debe ser tan valioso...

GERARDO

Pero, por favor, hombre, me vas a hacer sentirme...

ROBERTO

Esta Comisión va a permitirnos cerrar un capítulo tan doloroso de nuestra historia, y me dije, estoy solo este fin de semana, tengo que ayudar... por poco que sea...

GERARDO

Podrías haber esperado hasta mañana...

ROBERTO

¿Y si tú te levantas de madrugada? Y cuando llegas al

auto, no está el neumático de repuesto, ¿eh? ¿Y recién ahí tienes que venir a buscarme? No, mi señor, tenía que traértelo y de paso decirte que me ofrezco para ir contigo mañana a ponerle un parche y luego con mi gato vamos a buscar tu auto... Oye, y tu gato, qué se hizo, averiguaste lo que...

GERARDO

Mi mujer se lo prestó a su madre.

ROBERTO

¿A su madre?

GERARDO

Tú sabes cómo son las mujeres...

ROBERTO *(riéndose)*

¡No lo voy a saber! El último misterio. Vamos a penetrar todas las fronteras, mi amigo, y nos va a quedar esa alma insondable femenina. Sabes lo que escribió Nietzsche... Por lo menos creo que fue Nietzsche. Que jamás podremos poseer esa alma femenina. Y eso que el viejo Nietzsche nunca se encontró sin gato en el medio del camino por culpa de una mujer.

GERARDO

Sin gato y sin neumático.

ROBERTO

Y sin neumático. Con mayor razón entonces te acompaño y terminamos el operativo en una mañana...

31

## GERARDO

Pero estoy abusando de tu...

## ROBERTO

Faltaba más. A mí me gusta ayudar a la gente, sabes... Soy médico, creo que te dije, ¿no? Así que las emergencias son para mí el pan de cada día. Claro que no sólo ayudo a la gente importante, no creas...

## GERARDO

Si hubieras sabido en lo que te estabas metiendo yo creo que aceleras, ¿no?

## ROBERTO *(se ríe)*

A fondo. No, en serio, no es ninguna molestia. Es más bien un honor. La verdad, la verdad, vine para felicitarte, para decirte que... Esto es lo que le hace falta al país, saber de una vez por todas la verdad...

## GERARDO

Lo que al país le hace falta es justicia, pero si podemos establecer la verdad...

## ROBERTO

Es lo mismo que digo yo. Aunque no podamos juzgar a esta gente, aunque se acojan a esa aberración de una amnistía... que se publiquen sus nombres, por lo menos...

## GERARDO

Los nombres se mantienen en reserva, a la Comisión no le toca revelarlos...

ROBERTO

En este país todo se termina sabiendo. Que sus hijos, que sus nietos vengan y les pregunten es verdad tú hiciste esto de que te acusan... y ellos tendrán que mentir, dirán que jamás, yo no, dirán, son calumnias, es una conspiración comunista, qué sé yo qué estupidez dirán, pero se les notará en cada mirada y los mismos hijos, los nietos les tendrán pena y asco. No es como meterlos en la cárcel pero...

GERARDO

Tal vez algún día...

ROBERTO

Nunca se sabe. Por ahí, si la gente se indigna, capaz de que se pueda derogar la ley de amnistía también.

GERARDO

A nuestra Comisión eso no nos compete. Nosotros reunimos antecedentes, escuchamos testigos, averiguamos...

ROBERTO

Yo estoy por matar a estos hijos de puta, pero veo...

GERARDO

Lamento tener que discrepar, Roberto, pero opino que la pena de muerte no resuelve ningún...

ROBERTO

Vamos a tener que discrepar entonces, Gerardo. Hay

gente que no merece estar viva. Pero a lo que iba es que creo que van a tener un problema más o menos serio...

GERARDO

Vamos a tener un montón de problemas serios. Para empezar, el Ejército nos va a hacer la contra durante todo el... Ya le avisaron al Presidente que consideraban esta investigación un agravio, que era inaceptable que se estuvieran removiendo las heridas del pasado. Por suerte, siguió adelante, pero...

ROBERTO

En ese caso, capaz de que tengas razón y no se sepa finalmente quiénes son estos tipos, no ves que forman una especie de... cofradía, fraternidad.

GERARDO

Mafia.

ROBERTO

Eso. Una mafia. Nadie cuenta nada y se cubren las espaldas entre todos, y si lo que dices es cierto entonces los militares no van a permitir a ninguno de sus hombres que vayan a declarar, y si ustedes los citan van a decir que se vayan a la puta que los parió... Así que quizás eso que dije de sus hijos, sus nietos, quizás después de todo...

GERARDO

Quién sabe. El Presidente me adelantó... Esto, en confianza, por cierto...

ROBERTO

Por cierto.

GERARDO

Me adelantó que hay gente que está dispuesta a declarar, en secreto, sabes, dándosele todo tipo de garantías de confidencialidad. Y una vez que se larguen, una vez que comiencen a confesar, es increíble la cadena de nombres que va a salir... Como dijiste tú: en este país todo se termina sabiendo.

ROBERTO

Ojalá compartiera tu optimismo. Temo que haya cosas que no se van a saber nunca.

GERARDO

Estamos limitados, pero no tan limitados, mi amigo. Sanción moral, por lo menos, tendrá que haber... Ya que los tribunales...

ROBERTO

Dios te oiga, pero *(mira su reloj)...* por Dios, si son las dos de la mañana. Mira, vengo mañana a buscarte, digamos a las... te parece bien las nueve, así...

GERARDO

¿Y por qué no te quedas? A menos que alguien te esté esperando en tu...

ROBERTO

Nadie.

GERARDO

Bueno, si estás solo.

ROBERTO

Por ahora. Mi mujer y los niños estan de viaje. A Disneylandia se fueron... y como a mí me carga viajar, y tengo mis pacientes que... preferí quedarme, tener tiempo para escuchar mis cuartetos, mirar las olas. Pero a lo que vine es a ayudar y no a ser una molestia. Mejor me voy y...

GERARDO

Faltaba más. Te quedas. Tenemos ropa de cama de más. Estás... ¿qué?... a como media hora o más.

ROBERTO

Unos cuarenta minutos por el camino de la costa, y si me doy prisa...

GERARDO

No hay más que hablar. Te quedas. Paulina va a estar encantada. Ya vas a ver, mañana nos prepara un rico desayuno...

ROBERTO

Bueno, eso del desayuno me termina de convencer, mira que ni leche tengo en la casa. Y la verdad, la verdad es que estoy rendido... ¿Y el baño?
(*Paulina rápidamente se va de la terraza hacia el dormitorio*)

## GERARDO

Por allá. ¿No sé si te hace falta algo más...? Un cepillo de dientes es lo único que realmente no te puedo...

## ROBERTO

Una de las cosas que nunca se comparten, mi amigo, es el cepillo de dientes.

*(Gerardo se ríe y luego sale hacia un lado y Roberto hacia el otro. Se escucha la voz de Gerardo en off)*

## GERARDO

Mi hijita. Paulina, amor... Oye, amorosa, ¿me estás escuchando? Para que no te asustes, mi amor, Roberto Miranda, el doctor que me recogió en la carretera, se está quedando a dormir aquí porque mañana me va a acompañar a... Mi amor, ¿me escuchas?

## PAULINA

*(también en off, aparentemente adormilada)*

Sí, mi amor.

## GERARDO

Es para que sepas. Es un amigo, ¿ya? Para que no tengas miedo. Mañana nos haces un rico desayuno...

*(Excepto el ruido del mar, silencio total)*

## ESCENA 3

*Han pasado algunos minutos. Una nube oscurece la luna. El ruido del mar. Silencio. Aparece Paulina, vestida, en el salón-comedor. Por la luz de la luna se la ve ir hasta el cajón y sacar el revólver. Y vagamente también se ve en sus manos lo que parecen ser medias de mujer. Su silueta cruza el salón-comedor hasta la entrada al dormitorio donde duerme Roberto. Espera un instante, escuchando. Entra. Pasan varios instantes. Hay ruido confuso, como de un golpe y un grito ahogado. Después de un período de silencio, ella entra, vuelve a la puerta de su dormitorio y lo cierra con llave. Vuelve al dormitorio de Miranda y luego se ve su silueta que entra en escena arrastrando algo que parece ser un cuerpo y al que se identificará luego como Roberto Miranda. Más ruidos. Ella levanta penosamente el cuerpo y lo ata a una silla. Vuelve al dormitorio de Roberto y regreso con lo que parece ser su chaqueta, sacando un manojo de llaves de adentro. Comienza a irse. Se detiene. Vuelve al cuerpo de Miranda. Se saca llas bragas y se llas mete en la boca a Roberto.*

*Sale de la casa. Se escucha el motor del auto de Mitranda y los focos del auto que se encienden brevemente. Al barrer la escena brevemente, antes de irse, vemos que efectivamente es Roberto Miranda quien está atado en una de las sillas, totalmente inconsciente, y con la boca amordazada. Se va el auto. Oscuridad.*

## ESCENA 4

*Está amaneciendo.*

*Roberto abre los ojos. Hace un esfuerzo por levantarse y se da cuenta de que está atado. Empieza a debatirse desesperadamente. Paulina está frente a él con el revólver, recostada en un sofá. Roberto la mira despavorido.*

PAULINA

Buenos días, doctor... Miranda. Doctor Miranda. *(Toma el revólver y apunta a Roberto juguetonamente)* ¿Será algo de los Miranda de San Fernando? Yo tuve una compañera de Universidad que se llamaba Miranda, Ana María Miranda, la Anita, bien habilidosa, tenía una memoria, le decíamos nuestra enciclopedita, ni sé qué habrá sido de ella, debe haber terminado de médico igual que usted, ¿no?... Yo no terminé la carrera, doctor Miranda. A ver si adivina por qué nunca terminé mi carrera, por qué no me li-

41

cencié; estoy segura que no le va a costar mucho imaginarse las razones.

Por suerte estaba Gerardo, y él... bueno, no puedo decir realmente que me estuviese esperando, pero digamos, sí, que me amaba... así que no tuve que volver a la Universidad a licenciarme. Una suerte, porque le agarré... bueno, fobia no es la palabra exacta, resquemor... a la profesión. Pero nada es definitivo en la vida, dicen, y por ahí me matriculo de nuevo, o pido mi reincorporación. Leí que estaban aceptando peticiones de los exonerados.

Pero debe tener hambre y a mí me toca hacer el desayuno, ¿no?, un rico desayuno. A usted le gusta... a ver, jamón con mayonesa, creo, no es cierto, sandwiches de jamón con uno de los panes untados en mayonesa, creo que eran... No tenemos mayonesa, pero jamón sí, a Gerardo también le gusta el jamón. Tiene que perdonarnos que no tengamos mayonesa. Por el momento. Ya me voy a ir informando de sus otros gustos.

No tendrá inconveniente, supongo, que esto sea por ahora un monólogo. Ya le daremos ocasión para que usted diga lo suyo, doctor. Lo que pasa es que no quisiera sacarle esa... mordaza, se llama, ¿no?... hasta que no despierte Gerardo. Tan cansado el pobre, pero lo tendré que despertar dentro de poco. ¿Le dije que llamé a la grúa? Deben estar por venir ya.

*(Va hasta la puerta del dormitorio y la abre)*

La verdad verdad es que tiene aire de aburrido. ¿Qué le parece si mientras yo les hago un rico desayuno... Yo sí que tengo leche... qué le parece algo de Schubert? ¿La Muerte y la Doncella? ¿Supongo que no le importará que le haya sacado la cinta de su auto, doctor?

*(Va al radiocasete y pone una cinta. Empieza a escucharse "La Muerte y la Doncella" de Schubert)* ¿Sabe hace cuánto que no escucho este cuarteto? Trato, por lo menos, de no escucharlo. Si lo ponen en la radio, la apago, incluso me cuido de salir demasiado, me excuso y Gerardo sale solo. Si algún día lo nombran Ministro voy a tener que acompañarlo. Una noche fuimos a cenar a casa de... eran personas importantes, de esas con fotos en las páginas sociales... y la anfitriona puso Schubert, una sonata para piano, y yo pensé me levanto y la apago o simplemente me levanto y me voy, pero mi cuerpo decidió por mí, porque me sentí mareada, repentinamente enferma y tuvimos que partir con Gerardo, y ahí se quedaron los demás escuchando a Schubert sin saber lo que había causado mi mal. Así que rezo que no vayan jamás a poner Schubert, extraño ¿no?, cuando era, y yo diría... sí, yo diría que sigue siendo mi compositor preferido, esa tristeza suave, noble... Pero siempre me

prometí que llegaría un momento para recuperarlo. Tantas cosas que quizás puedan cambiar a partir de ahora, ¿no? Estuve a punto de tirar todo el Schubert que tenía, fíjese qué locura, ¿no?

Se me ocurre que ahora voy a poder empezar a escuchar de nuevo mi Schubert, ir a algún concierto de nuevo como solíamos hacerlo cuando... ¿Sabía que Schubert era homosexual? Pero claro que lo sabe, si fue usted el que me lo repitió una y otra vez, aquí en el oído, mientras me tocaba justamente "La Muerte y la Doncella". Esta cinta que le encontré, ¿es la misma que usted me tocó, doctor Miranda, o la va renovando todos los años para que el sonido esté siempre... prístino? *(Va hasta la puerta del dormitorio y le dice a Gerardo)* Qué maravilla este cuarteto, ¿no, Gerardo? *(Ella vuelve a su asiento. Después de un instante, entra Gerardo, adormilado)* Buenos días, mi amor. Tienes que perdonarme que todavía no esté listo el desayuno. *(Al ver a Gerardo, Roberto hace esfuerzos desesperados por desatarse. Gerardo mira la escena atónito)*

GERARDO

¡Paulina! Pero qué pasa aquí, qué está... pero ¿qué locura es ésta? Roberto... Señor Miranda, yo... *(Va hacia Roberto)*

PAULINA

No lo toques.

GERARDO

¿Qué?

PAULINA
*(levantando el revólver)*

No lo toques.

GERARDO

Pero ¿qué está pasando aquí ,qué locura es... ?

PAULINA

¡Es él!

GERARDO

Deja inmediatamente ese...

PAULINA

Es él.

GERARDO

¿Quién?

PAULINA

Es el médico.

GERARDO

¿Cuál médico?

PAULINA

El que tocaba Schubert. *(Pausa breve)*

GERARDO

El que tocaba Schubert.

PAULINA

Ese médico.

GERARDO

¿Cómo lo sabes?

PAULINA

Por la voz.

GERARDO

Pero si tú estabas... Me dijiste que pasaste los dos meses...

PAULINA

Con los ojos vendados, sí. Pero podía oír... todo.

GERARDO

Estás enferma.

PAULINA

No estoy enferma.

GERARDO

Estás enferma.

PAULINA

Entonces estoy enferma. Pero puedo estar enferma y reconocer una voz. Y además cuando nos privan de una facultad, otras se agudizan a modo de compensación. ¿O no, doctor Miranda?

GERARDO

El recuerdo vago de una voz no es una prueba de nada, Paulina.

## PAULINA

Es su voz. Se la reconocí apenas entró anoche. Es su risa. Son sus modismos.

## GERARDO

Pero eso no es...

## PAULINA

Puede ser muy poco, pero a mí me basta. Todos estos años no ha pasado una hora que no la escuche, aquí en mi oreja, aquí con su saliva en mi oreja, ¿crees que una se olvida así como así de una voz como ésa?
*(Imitando la voz de un hombre)*
"Dale más. Esa puta aguanta más. Dale más." "¿Seguro, doctor? No se nos vaya a morir la huevona, oiga." "Falta mucho para que se desmaye. Dale más y más."

## GERARDO

Paulina, te pido que por favor guardes ese revólver.

## PAULINA

No.

## GERARDO

Mientras tú me estés apuntando, no hay conversación posible.

## PAULINA

Por el contrario, apenas te deje de apuntar, la conversación se acaba. Porque ahí tú usas tu fuerza física superior para imponer tu punto de vista.

### GERARDO

Paulina, te advierto que lo que estás haciendo es muy grave.

### PAULINA

Irreparable, ¿eh?

### GERARDO

Irreparable, sí, puede ser irreparable. Doctor Miranda, yo le ruego que nos disculpe... mi señora ha estado...

### PAULINA

No te atrevas. No te atrevas a pedirle perdón a esta mierda humana.

### GERARDO

Desátalo, Pau.

### PAULINA

No.

### GERARDO

Entonces lo voy a desatar yo. *(Va hacia él. De repente, Paulina dispara, hacia abajo. Ella misma se muestra sorprendida. Gerardo salta hacia atrás, lejos de Roberto que, a su vez, se muestra desesperado)* No dispares. Pau, no vuelvas a disparar. Dame esa arma. *(Silencio)* No puedes hacer esto.

### PAULINA

Hasta cuándo me dices lo que puedo y no puedo hacer, lo que puedo y no puedo. Lo hice.

## GERARDO

¿Se lo hiciste a este señor que la única falta que ha cometido... de lo único de que podrías acusarlo ante los tribunales...? *(A Paulina le sale una risa entrecortada y despectiva)* Sí, los tribunales, por corruptos que sean, por venales y cobardes... lo único de que podrías acusarlo es de detenerse en un camino donde yo estaba abandonado, y traerme a casa y después ofrecerse para ir a buscar...

## PAULINA

Ah, se me olvidó decirte que la grúa va a llegar en cualquier momento. Aproveché para llamarlos del teléfono público de la carretera esta mañana cuando salí a esconder el auto de tu buen Samaritano. Así que vístete. Deben estar a punto de llegar.

## GERARDO

Te ruego, Paulina, que seamos razonables, que actuemos...

## PAULINA

Tú serás razonable. A ti nunca te hicieron nada.

## GERARDO

Me hicieron, claro que me hicieron, pero esto no es un concurso de horrores... no estamos compitiendo, carajo. Mira, aun si este hombre fuera el médico de que hablas, no lo es, no tiene por qué serlo, pero digamos que fuera... aun en ese caso, con qué derecho lo tienes de esta manera. Pero Paulina, fíjate qué estás haciendo, en las consecuencias de actuar de esta...

*(Se escucha el motor de una camioneta afuera. Paulina corre hasta la puerta, la abre y grita)*

PAULINA

¡Ya va, ya va! *(Cierra la puerta con llave y se dirige a Gerardo)* Vístete pronto, es la grúa. Afuera está el neumático. Y también bajé su gato.

GERARDO

Le estás robando el gato, ¿eh?

PAULINA

Así podemos dejarle a mamá el nuestro.
*(Breve Pausa)*

GERARDO

¿No has pensado que podría dar aviso a la policía?

PAULINA

No creo. Tienes demasiado confianza en tus poderes persuasivos. Y además tú sabes que si se asoma por aquí la policía le meto un balazo en el cerebro a este doctor, ¿no? Lo sabes, ¿no? *(Pausa breve)* Y después me pego yo un tiro...

GERARDO

Paulineta linda... Paulineta linda. Estás... irreconocible. ¿Cómo es posible que estés así?

## PAULINA

Explíquele a mi marido, doctor Miranda, qué me hizo usted para que yo estuviera tan... loca.

## GERARDO

¿Me puedes decir de una vez qué es lo que piensas hacer, Paulina?

## PAULINA

No yo. Los dos. Lo vamos a juzgar, Gerardo. Vamos a juzgar al doctor Miranda. Tú y yo. ¿O lo va a hacer tu famosa Comisión Investigadora?
*(Bajan las luces)*

Fin del primer acto.

# SEGUNDO ACTO

## Escena 1

*Pasado el mediodía.*
*Roberto todavía en la misma posición, Paulina de espaldas a él mirando hacia el ventanal y el mar, meciéndose lentamente mientra habla.*

### Paulina

Y cuando me soltaron... ¿sabe dónde fui? Donde mis padres no podía... en ese tiempo yo había roto relaciones con ellos, eran tan promilitares, a mi mamá la veía muy de vez en cuando... Qué cosa, no, que le esté contando todo esto a usted, como si fuera mi confesor. Cuando hay cosas que nunca le conté a Gerardo, ni a mi hermana, y menos a mi mamá... mientras que a usted le puedo decir exactamente lo que me pasa, lo que me pasaba por la cabeza cuando me soltaron.

Esa noche estaba... bueno, ¿para qué describir cómo estaba, doctor, si usted me inspeccionó a fondo antes de que me soltaran? Estamos bien así, ¿no? Como un par de viejos tomando sol en un banco de la plaza. *(Roberto hace un gesto, como que quiere hablar o soltarse)* ¿Tiene hambre? No es para tanto. Tendrá que aguantarse hasta que vuelva Gerardo. *(Imitando la voz de un hombre)* "¿Tienes hambre? ¿Quieres comer? Yo te voy a dar de comer, mi hijita rica, yo te voy a dar algo sustancioso y bien grande para que te olvides del hambre." *(Su propia voz)* De Gerardo usted no sabe nada... Quiero decir que nunca supo. Yo nunca solté el nombre. Sus colegas me preguntaban: "Cómo una hembra así, con una raja tan rica, cómo va a estar sin un hombre... Si alguien tiene que estar tirándosela, señorita. Díganos quién se la está tirando". Pero yo nunca solté el nombre de Gerardo. Lo que son las cosas. Si yo menciono a Gerardo, seguro que usted no comete el error garrafal de venir anoche a sonsacarle información. Para eso vino, ¿no? Aunque la verdad verdad es que si yo menciono a Gerardo él no estaría nombrado en esa comisión investigando su caso. Y yo iría a declarar a esa comisión y contaría que a Gerardo lo conocí asilando gente... metiéndolos a las embajadas, a eso me dediqué yo en los días después del golpe. Entonces yo estaba dispuesta a todo,

56

increíble que no tuviera miedo a nada en ese tiempo. Pero en qué estaba yo... Ah, le estaba contando acerca de esa noche. Esa noche, igual que usted me puse a golpear en la puerta y cuando Gerardo finalmente me abrió, se veía un poco alterado, el pelo lo tenía... *(Se oye el sonido de un auto, que se detiene afuera. Después, una puerta de auto, que se abre y se cierra. Paulina va a la mesa y toma el revólver en su mano. Entra Gerardo)* ¿Cómo te fue con el auto? Fue fácil arreglar el...

### GERARDO

Paulina. Me vas a escuhar.

### PAULINA

Claro que te voy a escuhar. ¿Acaso no te he escuchado siempre?

### GERARDO

Siéntate. Quiero que te sientes y quiero que me escuches, que verdaderamente me escuches. *(Paulina se sienta)* Tú sabes que yo me he pasado la vida defendiendo el estado de derecho. Si algo me ha reventado del régimen militar...

### PAULINA

Diles fascistas, no más.

### GERARDO

¡No me interrumpas! Si algo me ha reventado de ellos es que acusaron a tantos hombres y mujeres, hicieron de juez y parte y acusadores y ejecutores y no les dieron a quienes condenaron la más mínima garantía, la posibilidad de defenderse. Aunque este hombre haya cometido los peores crímenes del Universo, tiene derecho a defenderse.

PAULINA

Pero yo no le voy a negar ese derecho, Gerardo. Te voy a dar todo el tiempo del mundo para que consultes con tu cliente, a solas. Estaba esperando que llegaras tú para darle a esto un comienzo oficial. Puedes sacarle esa... *(Le hace un gesto a Gerardo. Mientras Gerardo le desata el pañuelo a Roberto, Paulina indica la grabadora)* Queda avisado que todo lo que diga va a quedar grabado aquí.

GERARDO

Por Dios, Paulina, cállate de una vez. Deja hablar a... *(Pausa breve. Paulina echa a andar la grabadora).*

ROBERTO
*(carraspea, luego con voz ronca y baja)*
Agua.

GERARDO

¿Qué?

PAULINA

Quiere agua, Gerardo.
*(Gerardo corre a llenar un vaso con agua y se lo trae a Roberto, dándoselo a beber. Se lo bebe entero)*

PAULINA

Rica el agua, ¿no? Mejor que tomarse su propio pipí, en todo caso.

ROBERTO

Señor Escobar. No tiene perdón este abuso, realmente no tiene perdón de Dios.

PAULINA

Un momento. Un momento. No diga ni una palabra más, doctor. Vamos a ver si está grabando.
*(Toca unos botones y luego se escucha la voz de Roberto)*
*Voz de Roberto en la grabadora.*
Señor Escobar. No tiene perdón este abuso. Realmente no tiene perdón de Dios.
*Voz de Paulina en la grabadora.*
Un momento. Un momento. No diga una palabra más, doctor. Vamos a...
*(Paulina para la grabadora)*

PAULINA

Bueno. Ya tenemos una declaración sobre el perdón. El doctor Miranda opina que no tiene perdón, ni perdón de Dios, atar a alguien contra su voluntad por unas horas, dejar a esa persona sin habla por un par de horas. Estamos de acuerdo. ¿Algo más?
*(Toca otro botón)*

ROBERTO

Señora, yo no la conozco. No la he visto antes en mi vida. Puedo sí decirle que usted está enfermo, señor. Usted es un abogado, un defensor de los derechos humanos, un opositor al gobierno militar, como lo he sido yo toda mi vida, usted es responsable de lo que hace y lo que debe hacer ahora es desatarme de inmediato. Quiero que sepa que cada minuto que pasa sin que usted me libere lo hace más y más cómplice y tendrá que pagar las consecuencias de...

PAULINA

*(se le acerca con el revólver)*

¿A quién está amenazando?

ROBERTO

Yo no estaba...

PAULINA

Sí, está amenazando. Entendamos algo de una vez, doctor. Aquí se acabaron las amenazas. Allá afuera puede que manden ustedes todavía, pero aquí, por ahora, mando yo. ¿Se entiende? *(Pausa)*

ROBERTO

Tengo que ir al baño.

PAULINA

¿Mear o cagar?

### GERARDO

¡Paulina! Señor Miranda, nunca en su vida ella habló de esta...

### PAULINA

Vamos, doctor, ¿cómo es la cosa? ¿Por adelante o por detrás?

### ROBERTO

Parado.

### PAULINA

Desátalo, Gerardo. Yo lo llevo.

### GERARDO

¿Pero cómo lo vas a llevar tú? Lo llevo yo.

### PAULINA

Yo voy con él. No me mires así. No es la primera vez que va a sacar su cosa en mi presencia, Gerardo. Vamos, doctor, levántese. No quiero que se mee en mi alfombra.

*(Gerardo suelta las amarras. Con lentitud y dolor, Roberto va cojeando hacia el baño, con Paulina apuntándole. Después de unos instantes, se escucha el ruido de la meada y luego ela cisterna. Mientras tanto, Gerardo corta la grabadora y se pasea nerviosamente. Paulina vuelve con Roberto)*

61

PAULINA

Amárralo. *(El lo hace)* Más fuerte, Gerardo.

GERARDO

Paulina, tengo que hablar contigo.

PAULINA

¿Y quién te lo está impidiendo?

GERARDO

A solas.

PAULINA

No veo por qué tenemos que hablar a espaldas del doctor Miranda. Ellos discutían todo en mi presencia...

GERARDO

Paulina linda, por favor. Te ruego que no seas tan difícil. Te quiero hablar donde nadie nos puede oír.
*(Salen a la terraza. Durante la conversación de ellos, Roberto va a ir tratando de zafarse de sus ataduras, lentamente lográndolo por las piernas)*

GERARDO

Bueno. ¿Qué es lo que pretendes? ¿Qué pretendes, mujer, con esa locura?

PAULINA

Ya te dije, juzgarlo.

## GERARDO

Juzgarlo, juzgarlo... Pero ¿qué significa eso, juzgarlo? Nosotros no podemos usar los métodos de ellos. Nosotros somos diferentes. Buscar vengarse de esta...

## PAULINA

No es una venganza. Pienso darle todas las garantías que el no me dio a mí. Ni él ni ninguno de sus... colegas.

## GERARDO

Y a ellos también los vas a traer hasta aquí y los vas a amarrar y los vas a juzgar y...

## PAULINA

Para eso, tendría que disponer de sus nombres, ¿no?

## GERARDO

... y después los vas a...

## PAULINA

¿Matarlos? ¿Matarlo a él? Como él no me mató a mí, se me ocurre que no sería procedente que...

## GERARDO

Es bueno saberlo, Paulina, porque si piensas matarlo, me vas a tener que matar a mí también. Te lo juro que vas a tener que...

## PAULINA

Pero cálmate. No tengo la menor intención de matarlo. Y menos a ti... Claro que, para variar, no me crees.

GERARDO

¿Pero entonces qué vas a hacerle? Lo vas a qué entonces, lo vas a... Y todo esto porque hace quince años atrás a ti te...

PAULINA

A mi me... Qué cosa, Gerardo. Termina. *(Breve Pausa)* Nunca quisiste decirlo. Dilo ahora. A mí me...

GERARDO

Si tú no quisiste decirlo, ¿cómo iba a hacerlo yo?

PAULINA

Dilo ahora.

GERARDO

Sólo sé lo que me dijiste esa primera noche... cuando...

PAULINA

Dilo. A mí me...

GERARDO

A ti te...

PAULINA

A mí me...

GERARDO

Te torturaron. Ahora dilo tú.

PAULINA

Me torturaron. ¿Y qué más? *(Pausa breve)*
¿Qué más me hicieron, Gerardo? *(Gerardo va hacia ella, la toma en brazos)*

GERARDO
*(susurrandole)*

Te violaron.

PAULINA

¿Cuántas veces?

GERARDO

Muchas.

PAULINA

¿Cuántas?

GERARDO

Nunca me dijiste. Perdí la cuenta, dijiste.

PAULINA

No es cierto.

GERARDO

¿Qué es lo que no es cierto?

PAULINA

Que hubiese perdido la cuenta. Sé exactamente cuántas veces. *(Pausa breve)*. Y esa noche, Gerardo, cuando... empecé a contarte, ¿qué juraste hacer? ¿Te acuerdas qué juraste hacer con ellos si los encontrabas? *(Silencio)*. Dijiste: "Algún día, mi amor, vamos a juzgar a esos hijos de puta. Vas a poder pasear tus ojos"... —recuerdo exactamente esa frase, me pareció, como poética— "pasear tus ojos por cada uno de

ellos mientras escuchan tus acusaciones. Te lo juro".
Dime a quién recurro ahora, mi amor.

GERARDO

Fue hace quince años.

PAULINA

¿Ante quién acuso a este médico, ante quién, Gerardo? ¿Ante tu Comisión?

GERARDO

Mi Comisión. ¿De qué Comisión me estás hablando? Con tus locuras, vas a terminar imposibilitando todo el trabajo de investigación que pretendíamos. Voy a tener que renunciar a ella.

PAULINA

Siempre tan melodramático. Supongo que no irás a usar ese tono de melodrama cuando hables a nombre de la Comisión.

GERARDO

¿Pero eres sorda? Te acabo de decir que voy a tener que renunciar.

PAULINA

No veo por qué.

GERARDO

Tú no ves por qué, pero todo el resto del país va a ver por qué y especialmente los que no quieren que se investigue nada van a ver por qué. Uno de los miembros de la Comisión Presidencial a cargo de investigar la violencia de estos años y que tiene que dar muestras de moderación y ecuanimidad...

PAULINA

¡Nos vamos a morir de tanta ecuanimidad!

GERARDO

Y objetividad, que uno de sus miembros haya permitido que secuestren, amarren y atormenten en su casa a un ser humano indefenso... Tú sabes cómo los diarios que sirvieron a la dictadura me van a crucificar, van a usar este episodio para menoscabar y quizás terminar con la Comisión. *(Pausa breve)* ¿Quieres que esos tipos vuelvan al poder otra vez? ¿Quieres que tengan tanto miedo de que vuelvan para sentirse seguros de que no los vamos a lastimar? ¿Eso quieres? ¿Que vuelvan los tiempos en que esos tipos decidían nuestra vida y nuestra muerte? Suéltalo, Paulina. Pídele disculpas y suéltalo. Es un hombre —parece por lo que hablé con él—, es un hombre democrático que...

PAULINA

Ay, mi hijito, por favor, cómo te meten el dedo en la boca... Mira. No quiero hacerte daño y menos quiero hacerle daño a la Comisión. Pero ustedes en la

Comisión se entienden sólo con los muertos, con los que no pueden hablar. Y resulta que yo sí puedo, hace años que no hablo ni una palabra, que no digo ni así de lo que pienso, que vivo aterrorizada de mi propia... pero no estoy muerta, pensé que estaba enteramente muerta pero estoy viva y sí que tengo algo que decir... así que déjame hacer lo mío y tú sigue tranquilo con la Comisión. Yo te puedo prometer que este enjuiciamiento no les va a afectar, nada de esto se va a saber.

### GERARDO

No se va a saber siempre que este señor se desista de hacer declaraciones cuando lo sueltes. Si es que lo sueltas. Y aun en ese caso, yo tengo que renunciar de todas maneras, y cuanto antes, mejor.

### PAULINA

¿Tienes que renunciar aunque no se sepa?

### GERARDO

Sí. *(Pausa)*

### PAULINA

Por la boca de tu mujer, que antes era loca porque no podía hablar y ahora es loca porque puede hablar, ¿por eso tienes que...?

### GERARDO

Entre otras cosas, sí, si tanto te interesa la verdad.

PAULINA

La verdad verdad, ¿eh? *(Pausa breve)* Espérate un momento.

*(Va a la otra habitación y encuentra a Roberto a punto de soltarse. Apenas la ve, él se paraliza. Paulina lo vuelve a atar, mientras imposta la voz)*

"¿Que no te gusta nuestra hospitalidad? ¿Quieres irte tan pronto, huevona? Afuera no vas a gozar como has gozado aquí con tu negro. ¿Me vas a echar de menos?"

*(Paulina empieza lentamente a recorrer el cuerpo de Roberto, con sus manos, casi como haciéndole cariños. Se levanta asqueada, casi vomitando. Vuelve a la terraza)*

PAULINA

No sólo le reconozco la voz, Gerardo. *(Pausa breve)* También le reconozco la piel. El olor. Le reconozco la piel. *(Pausa)* Y si yo pudiera probarte sin lugar a dudas que este doctor tuyo es culpable... de todas maneras ¿quieres que lo suelte?

GERARDO

Sí. *(Pequeña pausa)* Con más razón si es culpable. No me mires así. Imagínate que todos actuaran como lo haces tú. Tú satisfaces tu propia obsesión, castigas por tu cuenta, te quedas tranquila mientras los demás se van a la... todo el proceso, la democracia, se va a ir a la mierda...

## PAULINA

¡Nada se va a la mierda! ¡No se va a saber!

## GERARDO

La única manera de garantizar eso es que lo mates y ahí la que se va a ir a la mierda eres tú y yo contigo. Suéltalo, Paulina, por el bien del país, por el bien nuestro.

## PAULINA

¿Y el bien mío? Mírame... Mírame.

## GERARDO

Mírate, ay amor, mírate. Te quedaste presa de ellos, todavía estás presa en ese sótano en que te tenían. Durante quince años no has hecho nada con tu vida. Nada. Mírate, tenemos la oportunidad de comenzar de nuevo, de respirar. ¿No es hora de que...?

## PAULINA

¿Olvide? Me estás pidiendo que olvide.

## GERARDO

Que te liberes de ellos, Paulina, eso es lo que te estoy pidiendo.

## PAULINA

¿Y a él lo dejamos libre para que vuelva en unos años?

## GERARDO

Lo dejamos libre para que no vuelva nunca más.

PAULINA

Y lo vemos en el Tavelli y le sonreímos y él nos presenta a su señora y le sonreímos y comentamos lo lindo que está el día y...

GERARDO

No tienes por qué sonreírle, pero sí, de eso se trata. Empezar a vivir, sí.
*(Pausa breve)*

PAULINA

Mira, Gerardo, qué te parece un compromiso.

GERARDO

No sé de qué estás hablando.

PAULINA

Un compromiso, una negociación. ¿No es así como se ha hecho esta transición? ¿A nosotros nos dejan tener democracia, pero ellos se quedan el control de la economía y las fuerzas armadas? ¿La Comisión puede investigar crímenes pero lo criminales no reciben castigo? ¿Hay libertad para hablar de todo siempre que no se hable todo? *(Pausa breve)* Para que veas que no soy tan irresponsable ni tan... enferma, te propongo que lleguemos a un acuerdo. Tú quieres que yo a este tipo lo suelte sin hacerle daño, y yo lo que quiero... ¿te gustaría saber lo que quiero yo?

## GERARDO

Me encantaría saberlo.

## PAULINA

Cuando escuché su voz anoche, lo primero que pensé, lo que he estado pensando todos estos años, cuando tú me pillabas con una mirada que me decías que era... abstracta, decías, ida, ¿no? ¿Sabes en lo que pensaba? En hacerles a ellos lo que me hicieron a mí, minuciosamente. Especialmente a él, al médico... Porque los otros eran vulgares, tan... pero él ponía Schubert, él me hablaba de cosas científicas, hasta me citó a Nietzsche una vez.

## GERARDO

Nietzsche.

## PAULINA

Me horrorizaba de mí misma... pero era la única manera de conciliar el sueño, de salir contigo a una cena en que me preguntaba siempre si alguno de los presentes no sería... quizá no la exacta persona que me... torturó, pero... y yo, para no volverme loca y poder hacer la sonrisa de Tavelli que me dices que tengo que seguir haciendo, bueno, iba imaginándome meterles la cabeza un cubo con sus propios orines o pensaba en la electricidad, o cuando hacemos el amor y a mí me estaba a punto de dar el orgasmo, era evidente que pensara en... y entonces yo tenía que simularlo, para que tú no te sintieras...

## GERARDO

Ay, mi amor, mi amor.

## PAULINA

Así que cuando escuché su voz, pensé lo único que yo quiero es que lo violen, que se lo tiren, eso es lo que pensé, que sepa aunque sea una vez lo que es estar... *(Pausa breve)* Y que como yo no iba a poder hacerlo... Pensé que ibas a tener que hacerlo tú.

## GERARDO

No sigas, Paulina.

## PAULINA

Enseguida me dije que sería difícil que tú colaboraras.

## GERARDO

No sigas, Paulina.

## PAULINA

Así que me pregunté si no podía utilizar una escoba... Sí, Gerardo, un palo de escoba. Pero me di cuenta de que no quería algo tan... físico, y ¿sabes a qué conclusión llegué, qué es lo único que quiero? *(Pausa breve)* Que confiese. Que se siente a la grabadora y cuente todo lo que hizo, no sólo conmigo, todo, todo... y después lo escriba de su puño y letra y lo firme y yo me guardo una copia para siempre... con pelos y señales, con nombres y apellidos. Eso es lo que quiero. *(Pausa breve)*

## GERARDO

El confiesa y tú lo sueltas.

## PAULINA

Yo lo suelto.

## GERARDO

¿Y no necesitas nada más que eso?

## PAULINA

Nada más. *(Gerardo no contesta durante una pausa breve)* Así podrás seguir en la Comisión. Teniendo su confesión, estamos a salvo, él no se atreverá a mandar a uno de sus matones a...

## GERARDO

¿Y tú esperas que yo te crea que lo vas a soltar después que confiese? ¿Y esperas que te crea él?

## PAULINA

No veo que ninguno de los dos tenga otra alternativa. Mira, Gerardo, a gente de esta calaña hay que darle miedo. Dile que estoy preparándome para matarlo. Dile que por eso escondí el auto. Que la única manera de disuadirme es que confiese. Dile eso. Dile que nadie sabe que él vino aquí anoche, que nadie va a poder encontrarlo jamás. A ver si con eso lo convences.

## GERARDO

¿Que yo lo convenza?

74

PAULINA

Creo que es una tarea más grata que tener que tirárse-
lo, ¿no?

GERARDO

Hay un solo problema, Paulina. ¿Qué pasa si no tiene nada que confesar?

PAULINA

Si no confiesa, lo voy a matar. Dile que si no confiesa, lo voy a matar.

GERARDO

Pero ¿qué pasa si no es culpable?

PAULINA

No tengo apuro. Dile que yo lo puedo tener aquí durante meses, hasta que confiese.

GERARDO

Paulina, ¿me estás escuchando?. ¿Qué puede confesar
si no es culpable?

PAULINA

¿Si no es culpable? *(Pausa breve)* Ahí sí que se jodió.
*(Bajan las luces)*

Nota: *Si el director siente que la obra necesita un intermedio (dividiéndose en dos partes o actos), éste es el lugar más adecuado para que haya ese intermedio.*

ESCENA 2

*La hora del almuerzo.*
*Están sentados Gerardo y Roberto, todavía atado pero*
*con las manos por delante, frente a frente, en la mesa del*
*salón. Gerardo está sirviendo unos platos de sopa caliente.*
*Paulina se encuentra instalada lejos de ellos en la terraza*
*frente al mar. Ella puede ver pero no oírlos. Roberto y*
*Gerardo se quedan unos instantes mirando la comida.*

*(Silencio)*

GERARDO
¿Tiene hambre, doctor Miranda?

ROBERTO
Por favor, trátame de tú.

GERARDO
Prefiero tratarlo de usted, como si fuera mi cliente.
Va a facilitar mi tarea. Creo que debería comer algo.

## ROBERTO

No tengo hambre.

## GERARDO

Déjeme que le ayude... *(Llena una cuchara con sopa. Lo alimenta con la cuchara, como a un bebé. Va sirviéndose él de su plato)*

## ROBERTO

Está loca. Perdone, Gerardo, pero su señora...

## GERARDO

¿Pan?

## ROBERTO

No, gracias. *(Pausa breve)* Debería buscar tratamiento psiquiátrico para...

## GERARDO

Para ponerlo de una manera brutal, doctor, usted viene a ser su terapia. *(Le va limpiando la boca a Roberto con una servilleta)*

## ROBERTO

Me va a matar.

## GERARDO

*(sigue alimentándolo):*

A menos que usted confiese, lo va a matar.

## ROBERTO

Pero qué es lo que voy a confesar, qué voy a poder confesar si yo...

GERARDO

No sé, doctor Miranda, si está informado de que los servicios de inteligencia del régimen anterior contaron con la colaboración de médicos para sus sesiones de tortura...

ROBERTO

El Colegio Médico tuvo conocimiento de esas situaciones y fueron denunciadas y, hasta dónde se pudo, investigadas.

GERARDO

A ella se le ha metido en la cabeza que usted es uno de esos médicos. Si usted no tiene cómo desmentirlo...

ROBERTO

Desmentirlo, ¿cómo? Tendría que cambiar mi voz, probar que ésta no es mi voz... Si lo único que me condena es la voz, no hay otra prueba, no hay nada que...

GERARDO

Y su piel. Ella habla de su piel.

ROBERTO

¿Mi piel?

GERARDO

Y su olor.

ROBERTO

Son fantasías de una mujer enferma. Cualquier hombre que hubiese entrado por esa puerta...

GERARDO

Desafortunadamente, entró usted.

ROBERTO

Mire, Gerardo, yo soy un hombre tranquilo. Lo que me gusta es quedarme en mi hogar, o venir a mi casa en la playa, no molestar a nadie, sentarme frente al mar, leer un buen libro, escuchar música...

GERARDO

¿Schubert?

ROBERTO

Schubert, no tengo por qué avergonzarme. También me gusta Vivaldi, y Mozart, y Telemann. Y tuve la pésima ocurrencia de traer "La Muerte y la Doncella" a la playa. Mira, Gerardo, yo estoy metido en esto sólo porque me diste pena abandonado ahí en la carretera moviendo los brazos como loco... mira, a ti te toca sacarme de aquí.

GERARDO

Lo sé.

ROBERTO

Me duelen los tobillos, las manos, la espalda. No podrías...

GERARDO

Roberto... yo quiero ser franco contigo. Hay un solo modo de salvarte. *(Pausa breve)* A mi mujer hay que... darle en el gusto.

ROBERTO

¿Darle en el gusto?

GERARDO

Consentirla, que ella sienta que estamos, que tú estás
dispuesto a colaborarle, a ayudar.

ROBERTO

No veo cómo podría yo colaborarle, dadas las condiciones en que me...

GERARDO

Darle en el gusto, que ella crea que tú...

ROBERTO

Que yo...

GERARDO

Ella me ha prometido que basta con una... confesión
tuya.

ROBERTO

¡No tengo nada que confesar!

GERARDO

Tendrás que inventar algo entonces, porque no va a
perdonarte si no...

ROBERTO

*(alza la voz, indignado):*

No tiene nada que perdonarme. Yo no hice nada y no
voy a confesar nada ni colaborar en nada. En nada,

¿entiendes?. *(Al escuchar la voz de Roberto, Paulina se levanta de su sitio y empieza a dirigirse hacia los dos hombres)* En vez de estar proponiéndome estas soluciones absurdas, deberías estar convenciendo a la loca de tu mujer de que no siga con este comportamiento criminal. Si sigue así va a arruinar tu carrera brillante y ella misma va a terminar en la cárcel o el manicomio. Díselo. ¿O acaso eres incapaz de poner orden en tu propio hogar?

GERARDO

Roberto, yo...

ROBERTO

Esto ya ha llegado a límites intolerables...
*(Entra Paulina desde la terraza)*

PAULINA

¿Algún problema, mi amor?

GERARDO

Ninguno.

PAULINA

Los vi un poco... alterados. *(Pausa breve)* Veo que terminaron la sopa. No se puede decir que no sé cocinar, ¿no? ¿Cumplir mis funciones domésticas? ¿Quieren un cafecito? Aunque creo que el doctor no toma café. Le estoy hablando, doctor... ¿acaso su madre nunca le enseño modales?

ROBERTO

A mi madre no la meta en esto. Le prohíbo que mencione a mi madre.

(Pausa breve)

PAULINA

Tiene toda la razón. Su madre no tiene nada que ver en todo esto. No sé por qué los hombres insisten en insultar a la madre de alguien, tu puta madre, dicen, en vez de decir...

GERARDO

Paulina, te ruego que por favor vuelvas a salir para que yo pueda seguir mi conversación con el doctor Miranda.

PAULINA

Claro que sí. Los dejo solitos para que arreglen el mundo.

(Paulina comienza a salir. Se da la vuelta)

PAULINA

Ah, si él quiere mear, me avisas, ¿eh, mi amor...?

(Sale al mismo sitio que ocupó antes)

ROBERTO

Está realmente loca.

GERARDO

A los locos con poder hay que consentirlos, doctor. Y en su caso, lo que ella necesita es una confesión suya para...

### ROBERTO

¿Pero para qué?, ¿para qué le puede servir a ella una...?

### GERARDO

Yo creo que entiendo esa necesidad suya porque es una necesidad que tiene el país entero. De eso hablábamos anoche. La necesidad de poner en palabras lo que nos pasó.

### ROBERTO

¿Y tú?

### GERARDO

¿Y yo qué?

### ROBERTO

¿Y tú que vas a hacer después?

### GERARDO

¿Después de qué?

### ROBERTO

¿Tú le crees, no es cierto? ¿Tú crees que yo soy culpable?

### GERARDO

¿Si yo te creyera culpable, estaría yo aquí tratando de salvarte?

### ROBERTO

Estás confabulando con ella. Desde el principio. Ella es la mala y tú haces de bueno.

## GERARDO

¿Qué quieres decir con eso de...?

## ROBERTO

Repartiéndose los roles, en el interrogatorio, ella la mala, tú el bueno. Y después el que me va a matar eres tú, es lo que haría cualquier hombre bien nacido, al que le hubieran violado la mujer, es lo que haría yo si me hubieran violado a mi mujer... así que dejémonos de farsas. Te cortaría los huevos. *(Pausa. Gerardo se levanta)* ¿Dónde vas? ¿Qué vas a hacer?

## GERARDO

Voy a buscar el revólver y te voy a pegar un tiro. *(Pausa breve. Cada vez más enojado)* Pero pensándolo bien, voy a seguir tu consejo y te voy a cortar los huevos, fascista desgraciado. Eso es lo que hacen los verdaderos machos, ¿no? Los hombres de verdad verdad le meten un balazo al que los insulta y se violan a las mujeres cuando están atadas a un catre, ¿no? No como yo. Yo soy un pobre abogado maricón amarillo que defiende al hijo de puta que hizo mierda a mi mujer... ¿Cuántas veces, hijo de puta? ¿Cuántas veces te la culeaste?

## ROBERTO

Gerardo, yo...

## GERARDO

Nada de Gerardo aquí... ojo por ojo, aquí diente por diente, aquí... ¿No es ésa nuestra filosofía?

## ROBERTO

Era una broma, era sólo...

## GERARDO

Pero ¿para qué ensuciarme las manos con un maricón como tú... cuando hay alguien que te tiene muchas más ganas que yo? La llamo ahora mismo, que ella se dé el placer de volarte los sesos de un balazo.

## ROBERTO

No la llames.

## GERARDO

Estoy cansado de estar en el medio, entre los dos. Arréglatelas tú con ella, convéncela tú.

## ROBERTO

Gerardo, tengo miedo.
*(Pausa breve)*

## GERARDO

*(se da vuelta y cambia de tono):*
Yo también tengo miedo.

## ROBERTO

No dejes que me mate. *(Pausa breve)* ¿Qué le vas a decir?

GERARDO

La verdad. Que no quieres colaborar.

ROBERTO

Necesito saber qué hice, no te das cuenta de que no sé qué tengo que confesar. Lo que yo le diga tendría que coincidir con su experiencia. Si yo fuera ese hombre, sabría todo, todo, pero como no sé nada... Si me equivoco, capaz de que ella me... necesitaría tu ayuda, necesitaría que tú me... que me contaras lo que ella espera...

GERARDO

¿Te das cuenta que me estás pidiendo que engañe a mi mujer?

ROBERTO

Le estoy pidiendo que salve la vida de un hombre inocente, señor Escobar. *(Pausa breve)* ¿Usted me cree, no es cierto? Sabe que yo soy inocente, ¿no?

GERARDO

¿Tanto le importa lo que yo piense?

ROBERTO

¿Cómo no me va a importar? Usted es la sociedad, no ella. Usted es la Comisión Presidencial, no ella.

GERARDO
*(meditativo, apesadumbrado):*
Ella no, claro... ¿Qué importa lo que piense ella, no?
*Se levanta bruscamente y empieza a retirarse)*

## ROBERTO
¿Dónde va? ¿Qué le va a decir?

## GERARDO
Le voy a decir que tienes que mear.
*(Bajan las luces)*

Fin del segundo acto.

# TERCER ACTO

## ESCENA 1

*Está atardeciendo. Gerardo y Paulina están afuera, en la terraza frente al mar. Gerardo tiene una grabadora. Roberto adentro, atado.*

### PAULINA

No entiendo por qué.

### GERARDO

Necesito saber.

### PAULINA

¿Por qué? *(Pausa breve)*

### GERARDO

Te quiero, Paulina. Necesito saberlo de tus labios. No es justo que después de tantos años quien me lo diga sea él. No sería... tolerable.

### PAULINA

En cambio si yo te lo digo ¿es... tolerable?

GERARDO

Más tolerable que si me lo dice primero él.

PAULINA

Ya te lo conté una vez, Gerardo. ¿No te bastó?

GERARDO

Hace quince años me empezaste a contar y después...

PAULINA

No te iba a seguir contando frente a esa puta, ¿no? Apareció esa puta, saliendo de tu dormitorio medio desnuda pregúntandote que por qué estabas tardando tanto, no iba a...

GERARDO

No era puta.

PAULINA

¿Sabía ella dónde estaba yo? *(Pausa breve)* Sabía, claro que sabía. Una puta. Acostarse con un hombre cuando su mujer no estaba precisamente en condiciones de defenderse, ¿no?

GERARDO

No vamos a empezar con esto de nuevo, Paulina.

PAULINA

Tú empezaste.

GERARDO

Cuántas veces te lo tengo que... Llevaba dos meses tratando de encontrarte. Ella pasó a verme, dijo que

92

podía ayudar. Nos tomamos unos tragos y... por Dios, yo también soy humano.

PAULINA

Mientras yo te defendí, mientras tu nombre no salío de mi boca. Pregúntale, pregúntale a Miranda si yo siquiera te mencioné una vez, mientras que tú...

GERARDO

Ya me perdonaste, ya me perdonaste, ¡hasta cuándo! Nos vamos a morir de tanto pasado, nos vamos a sofocar de tanto dolor y recriminación. Terminemos la conversación que interrumpimos hace quince años, cerremos este capítulo de una vez por todas, terminémosla de una vez y no volvamos a hablar de esto nunca más.

PAULINA

Borrón y cuenta nueva, ¿eh?

GERARDO

Borrón no, cuenta nueva sí. ¿O vamos a estar pagando una y otra y otra vez la misma cuenta? Hay que vivir, gatita, vivir, hay tanto futuro que nos...

PAULINA

¿Y qué querías? ¿Que te hablara frente a ella? ¿Que te dijera, me violaron, pero yo no dije tu nombre, frente a ella, que yo te lo...? ¿Cuántas veces?

GERARDO

¿Cuántas veces qué?

PAULINA

¿Cuántas veces le hiciste el amor? ¿Cuántas?

GERARDO

Paulina...

PAULINA

¿Cuántas?

GERARDO

Mi amor.

PAULINA

¿Cuántas? Yo te cuento, tú me cuentas.

GERARDO

*(desesperado, sacudiéndose y después abrazándola):*
Paulina, Paulina, Paulina. ¿Me quieres destruir? ¿Eso
quieres?

PAULINA

No.

GERARDO

Lo vas a conseguir. Lo vas a conseguir y vas a que-
darte sola en un mundo en que yo no exista, en que
no me vas a tener más. ¿Eso es lo que quieres?

PAULINA

Quiero saber cuántas veces hiciste el amor con esa puta.

GERARDO

No sigas, Paulina. No digas ni una palabra más.

PAULINA

La habías visto antes, ¿no? No fue ésa la primera noche. Gerardo, la verdad, necesito saber la verdad.

GERARDO

¿Aunque nos destruya?

PAULINA

Tú me cuentas, yo te cuento. ¿Cuántas veces,
Gerardo?

GERARDO

Dos veces.

PAULINA

Esa noche. ¿Y antes?

GERARDO *(muy bajo):*

Tres.

PAULINA

¿Qué?

GERARDO *(más fuerte):*

Tres veces antes.

PAULINA

¿Tanto te gustó? *(Pausa)* Y a ella le gustó, ¿no? Le tiene que haber gustado si volvió...

GERARDO

¿Te das cuenta de lo que me estás haciendo, Paulina?

## PAULINA

¿Irreparable?

## GERARDO *(Desesperado)*:

¿Pero qué más quieres? ¿Qué más quieres de mí? Sobrevivimos a la dictadura, la sobrevivimos, y ahora ¿nos vamos a destruir, vamos a hacernos tú y yo lo que estos desgraciados fueron incapaces de hacernos?

## PAULINA

No.

## GERARDO

¿Quieres que me vaya? ¿Eso quieres? ¿Que salga por esa puerta y no vuelva nunca más?

## PAULINA

No.

## GERARDO

Lo vas a conseguir. Uno también se puede morir de demasiada verdad. *(Pausa)* ¿Me quieres destruir? Me tienes en tus manos como si fuera un bebé, indefenso, en tus manos, desnudo. ¿Me quieres destruir? ¿Me vas a tratar como al hombre que te...?

## PAULINA

No.

## GERARDO

¿Me quieres...?

PAULINA *(Susurrando)*:

Te quiero vivo. Te quiero dentro de mí, vivo. Te quiero haciéndome el amor y te quiero en la Comisión defendiendo la verdad y te quiero en mi Schubert que voy a recuperar y te quiero adoptando un niño conmigo...

GERARDO

Sí, Paulina, sí, mi amor.

PAULINA

Y te quiero ayudar minuto a minuto como tú me cuidaste a mí a partir de esa...

GERARDO

Nunca vuelvas a mencionar esa puta noche. Si sigues y sigues con esa noche, me vas a destruir, Paulina. ¿Eso quieres?

PAULINA

No.

GERARDO

¿Me vas a contar entonces?

PAULINA

Sí.

GERARDO

¿Todo?

PAULINA

Todo. Te lo voy a contar todo.

GERARDO

Así... así vamos a salir adelante... Sin escondernos nada, juntos, como hemos estado estos años, así, ¿sin odio? ¿no es cierto?

PAULINA

Sí.

GERARDO

¿No te importa que te ponga la grabadora?

PAULINA

Pónmela.
(Gerardo pone la grabadora)

GERARDO

Como si estuvieras frente a la Comisión.

PAULINA

No sé cómo empezar.

GERARDO

Empieza con tu nombre.

PAULINA

Me llamo Paulina Salas. Ahora estoy casada con el abogado don Gerardo Escobar, pero en ese tiempo...

GERARDO

Fecha...

## PAULINA

El 6 de abril de 1975, yo era soltera. Iba por la calle San Antonio...

## GERARDO

Lo más preciso que puedas...

## PAULINA

A la altura de Huérfanos, cuando escuché detrás de mí un... tres hombres se bajaron de un auto, me encañonaron, si habla una palabra le volamos la cabeza, señorita, uno de ellos me escupió las palabras al oído. Tenía olor a ajo. No me sorprendió que tuviera ese olor sino que a mí me importara, que me fijara en eso, que pensara en el almuerzo que él acababa de comerse, que estaba digiriendo con todos los órganos que yo había estudiado en mi carrera de medicina. Después me reproché a mí misma, tuve mucho tiempo en realidad para pensarlo, yo sabía que en esas circunstancias había que gritar, que la gente supiera que me agarraron, gritar mi nombre, soy Paulina Salas, me están secuestrando, que si uno no pega ese grito en ese primer momento ya te derrotaron, y yo agaché el moño, me entregué a ellos sin protestar, me puse a obedecerlos demasiado pronto. Siempre fui demasiado obediente toda mi vida.

*(Empiezan a bajar las luces)*

El doctor no estaba entre ellos.

Con el doctor Miranda me tocó por primera vez tres días más tarde cuando... Ahí lo conocí.

*(Bajan más las luces y la voz de Paulina sigue en la oscuridad)*

Al principio, yo pensé que él podía salvarme. Era tan suave, tan buena gente, después de lo que me habían hecho los otros. Y entonces escuché, de repente, el cuarteto de Schubert.

*(Se empieza a escuchar el segundo movimiento de "La Muerte y La Doncella")*

No saben lo que es, escuchar esa música maravillosa en aquella oscuridad, cuando hace tres días que no comes, cuando tienes el cuerpo hecho tiras, cuando...

*(Se escucha en la oscuridad la voz de Roberto)*

*Voz de Roberto*

Ponía música porque eso ayudaba al rol que me tocaba hacer, el rol del bueno, que le dicen, ponía Schubert para que me tomaran confianza. Pero también porque era un modo de aliviarles el sufrimiento. Tienen que creerme que yo pensé que era un modo de aliviarles el sufrimiento a los detenidos.

No sólo la música, sino que todo lo que yo hacía. Así me lo propusieron a mí cuando comencé.

*(Suben las luces como si fuera la luna que la ilumina. Es de noche. Está Roberto frente a la grabadora confesándose. Ya no se escucha a Schubert.)*

Los detenidos se les estaban muriendo, necesitaban a alguien que los atendiera, alguien que fuera de confianza. Yo tengo un hermano, miembro de los servicios de seguridad. Tienes la oportunidad de pagarles a los comunistas lo que le hicieron a papá, me dijo una noche —a mí papá le había dado un infarto cuando le tomaron el fundo en Las Toltecas. Quedó paralítico— mudo, con los ojos me interrogaba, como preguntándome qué había hecho yo para vengarlo. Pero no fue por eso que yo acepté. Fue por razones humanitarias. Estamos en guerra, pensé, ellos me quieren matar a mí y a los míos, ellos quieren instalar acá una dictadura totalitaria, pero de todos modos tienen derecho a que algún médico los atienda. Fue poco a poco, casi sin saber cómo, que me fueron metiendo en cosas más delicadas, me hicieron llegar a unas sesiones donde mi tarea era determinar si los detenidos podían aguantar la tortura, especialmente la corriente. Al principio me dije que con eso les estaba salvando la vida, y es cierto, puesto que muchas veces les dije, sin que fuera así, que si seguían se les iban a morir, pero después empecé poco a poco, la virtud se fue convirtiendo en algo diferente, algo excitante... y la máscara de la virtud se me fue cayendo y la excitación me escondió lo que estaba haciendo, el pantano de lo que estaba... y cuando me tocó atender a Paulina Salas ya era demasiado tarde. Demasiado tarde...

*(Empiezan a bajar las luces)*

... Demasiado tarde. Empecé a brutalizarme, me empezó a gustar de verdad. Se convierte en un juego. Te asalta una curiosidad entre morbosa y científica. ¿Cuánto aguantará ésta? ¿Aguantará más que la otra? ¿Cómo tendrá el sexo? ¿Es capaz de tener un orgasmo en estas condiciones? Puedes hacer lo que quieras con ella, está enteramente bajo tu poder, puedes llevar a cabo todas las fantasías. *(Bajan más las luces y sigue la voz de Roberto en la semioscuridad, con la luz de la luna sobre la grabadora)* Todo lo que te han prohibido desde siempre, todo lo que tu madre te susurraba que nunca hicieras, empiezas a soñar con ella, con ellas de noche. Vamos, doctor, me decían, no va a rehusar carne gratis, ¿no? Eso me lo decía, un tipo que llamaban... El Fanta se llamaba, nunca supe su nombre verdadero. Les gusta, doctor... si a todas estas putas les gusta y si además usted les pone esa musiquita tan bonita que les pone, seguro que se le acurrucan más todavía. Esto me lo decía frente a las mujeres, frente a Paulina Salas me lo dijo, y yo finalmente, y yo finalmente... pero nunca se me murió ninguna...

*(Vuelven a subir las luces y está amaneciendo. Roberto, desamarrado, escribe en una hoja de papel las palabras*

*que salen de su voz desde la grabadora, mientras Gerardo y Paulina escuchan. Frente a él hay un montón de hojas escritas)*

VOZ DE ROBERTO *(desde la grabadora):*
Nunca se murió ni una de las mujeres, ni uno de los hombres a los que me tocó... asesorar. Fueron, en total, cerca de 94 los presos a los que atendí, además de Paulina Salas. Es todo lo que puedo decir. Pido que se me perdone.
*(Gerardo corta la grabadora, mientras Roberto escribe)*

ROBERTO
Que se me perdone...
*(Gerardo pone de nuevo la grabadora)*

VOZ DE ROBERTO
Y que esta confesión sirva de prueba de mi arrepentimiento y que tal como el país se está reconciliando en paz. ¿Lo escribió?
*(Gerardo vuelve a poner la grabadora)*

VOZ DE ROBERTO
... Se me permita vivir el resto de mis días... con mi terrible secreto. No puede haber peor castigo que el que me impone la voz de mi conciencia.
*(Gerardo corta la grabadora)*

ROBERTO *(mientras escribe):*
... castigo... conciencia.

*(Gerardo corta la grabadora. Hay un momento de silencio)* ¿Y ahora? ¿Quiere que firme?

PAULINA

Ponga ahí que esto lo escribe de su propia voluntad, sin presiones de ninguna especie.

ROBERTO

Eso no es cierto.

PAULINA

¿Quiere que lo presione de verdad, doctor?
*(Roberto escribe un par de frases más, se las muestra a Gerardo, que mueve la cabeza afirmativamente)*

PAULINA

Ahora puede firmar.
*(Roberto lo firma. Paulina mira la firma, recoge los papeles, mete la cinta, aprieta un botón, escucha la voz de Roberto)*

VOZ DE ROBERTO

Ponía música porque eso ayudaba al rol que me tocaba hacer, el rol del bueno, que le dicen, ponía Schubert para que me tomaran confianza. Pero también porque era un modo de aliviarles el sufrimiento.

GERARDO

Por favor, Paulina. Basta.

## Voz de Roberto

Tienen que creerme que yo pensé que era un modo de aliviarles el sufrimiento a los detenidos. No sólo la música, sino que todo lo que yo hacía.

## Gerardo

*(aprieta un botón, interrumpiendo la voz de Roberto en el casete):*

Este asunto está terminado.

## Paulina

Casi terminado, sí.

## Gerardo

No te parece que sería hora...

## Paulina

Tienes toda la razón. Tenemos un acuerdo. *(Paulina va hasta la ventana y se queda un rato mirando las olas, respirando profundamente)* Y pensar que me pasaba horas así, al amanecer, tratando de distinguir tan lentamente las cosas que la marea había dejado atrás durante la noche, mirándolas y preguntándome qué serían, si iban a ser arrastradas de nuevo por el mar. Y ahora... Y ahora... Tan generosos que son los amaneceres en el mar después de una tormenta, tan libres que son las olas cuando...

## Gerardo

¡Paulina!

PAULINA *(dándose vuelta):*

Cierto. Me alegra ver que sigues siendo un hombre de principios. Pensé, ahora que sabes que de veras es culpable, pensé que yo iba a tener que convencerte de que no lo mataras.

GERARDO

No soy como él.

PAULINA
*(tirándole las llaves del auto a Gerardo):*

Anda a buscarle el auto. *(Pausa breve)*

GERARDO

¿Y a él lo dejo acá solo contigo?

PAULINA

¿No te parece que tengo edad como para saber cuidarme? *(Pausa breve)*

GERARDO

Está bien, está bien, voy a buscar el auto... Cuídate.

PAULINA

Tú también. *(Va hasta la puerta)*

PAULINA

Una cosa más, Gerardo. Devuélvele el gato.

GERARDO *(tratando de sonreír):*

Y tú devuélvele el Schubert. Tienes tu propia cinta. *(Pausa breve)* Cuídate.

## PAULINA

Y tú también.

*(Sale. Paulina lo mira. Roberto va desatándose los tobillos)*

## ROBERTO

Si me permite, señora, quisiera ir al baño. ¿Supongo que usted no tiene para qué seguir acompañándome?

## PAULINA

No se mueva, doctor. Nos queda todavía un pequeño asunto pendiente. *(Pausa breve)* Va a ser un día increíblemente hermoso. ¿Sabe lo único que me hace falta ahora, Doctor, para que este día sea de verdad verdad perfecto? *(Pausa breve)* Matarlo. Para que yo pueda escuchar mi Schubert sin pensar que usted también lo va a estar escuchando, que va a estar ensuciando mi día y mi Schubert y mi país y mi marido. Eso es lo que me hace falta...

## ROBERTO *(se levanta bruscamente):*

Señora, su marido partió confiado... Usted dio su palabra, señora.

## PAULINA

Es cierto. Pero cuando di mi palabra, me quedaba un poco de duda de que usted de veras fuera ese hombre. Porque Gerardo tenía razón. Pruebas, lo que se dice pruebas... bueno, por ahí me podía haber equivocado, ¿no? Pero sabía que si usted confesaba, si lo escuchaba confesarse. Y cuando le escuché, las últimas dudas se me esfumaron, y me di cuenta de que no iba a poder vivir tranquila si no lo mataba. *(Le apunta con el revólver)* Tiene un minuto para rezar y arrepentirse de veras, doctor.

ROBERTO

Señora, señora... no lo haga. Soy inocente.

PAULINA

Está confeso, doctor.

ROBERTO

La confesión, señora... La confesión es falsa.

PAULINA

¿Cómo que es falsa?

ROBERTO

Mi confesión la fabricamos, la inventé...

PAULINA

A mí me pareció sumamente verídica, dolorosamente familiar...

ROBERTO

Su marido me indicó lo que tenía que escribir, algo inventé yo... algo inventé, pero la mayoría me lo sugirió él a partir de lo que él sabía que le había pasado a usted, una fabricación para que usted me soltara, él me convenció que era la única manera de que no me matara y yo tuve que... usted sabe cómo, bajo presión, uno dice cualquier cosa, pero soy inocente, señora, por Dios que está en el cielo le...

PAULINA

No invoque a Dios, doctor, cuando está tan cerca de comprobar si existe o no. El que sí existe es el Fanta.

ROBERTO

Señora, qué es lo que...

PAULINA

Varias veces en su confesión usted menciona al Fanta, ese tipo grande, fornido, se comía las uñas, ¿no es cierto?, no sé cómo tendría la cara. De lo que pude darme cuenta es que se comía esas uñas de mierda.

ROBERTO

Yo no conocí nunca a ningún señor que se llamara así. El nombre me lo dio su marido, todo lo que dije se lo debo a la ayuda de su marido... Pregúntele cuando él vuelva. El le puede explicar.

PAULINA

El no tiene nada que explicar. Yo sabía que él iba a hacer eso, para salvarle la vida a usted, para protegerme a mí, para que yo no lo matara, yo sabía que él utilizaría mi confesión para armar la suya. El es así. Siempre piensa que es más inteligente que los demás, siempre piensa que tiene que estar salvando a alguien.

No lo culpo, doctor. Es porque me quiere. Nos mentimos porque nos queremos. El me engañó a mí para salvarme. Yo lo engañé a él para salvarlo. Pero gané yo. El nombre que le mencioné a mi marido fue el del Chanta, el Chanta, a propósito, un nombre equivocado para ver si usted lo corregía. Y usted lo corrigío, doctor, usted corrigió el nombre del Chanta y punso Fanta y si fuera inocente no tendría cómo haber sabido el nombre verdadero de esa bestia.

### ROBERTO
Le digo que fue su marido el que me... Escuche. Por favor, escúcheme. Primero dijo Chanta, después lo cambió y me dijo que era el Fanta. Debe haber pensado que era un nombre que le venía más a ese tipo de... Yo no sé por qué él me lo... Pregúnteselo. Pregúnteselo.

### PAULINA
No es la única corrección que usted hizo de la versión que yo le entregué a mi marido, doctor. Había varias otras mentiras.

### ROBERTO
¿Cuáles, cuáles...?

### PAULINA
Pequeñas mentiras, pequeñas variaciones que yo fui metiendo en mi relato a Gerardo, y varias veces,

Doctor, no siempre, pero varias veces como con el Fanta, usted las fue corrigiendo. Tal como supuse que iba a ocurrir. Pero no lo voy a matar porque sea culpable, doctor. Lo voy a matar porque no se ha arrepentido un carajo. Sólo puedo perdonar a alguien que se arrepiente de verdad, que se levanta ante sus semejantes y dice esto yo lo hice, lo hice y nunca más lo voy a hacer.

### ROBERTO

¿Qué más quiere, señora? Tiene más de lo que todas las víctimas de este país van a tener. Un hombre confeso, a sus pies, humillado *(se arrodilla)*, rogando por su vida. ¿Qué más quiere?

### PAULINA

La verdad, doctor. Dígame la verdad y lo suelto. Va a estar tan libre como Caín después de que mató a su hermano, cuando se arrepintió. Dios le puso una marca para que nadie lo pudiera tocar. Arrepiéntase y yo lo dejo libre. *(Pausa breve)* Tiene diez minutos. Uno, dos, tres, cuatro, cinco, seis. ¡Vamos! Siete. ¡Confiese, doctor!

*(Roberto se levanta del suelo)*

### ROBERTO

No. No lo voy a hacer. Por mucho que me confiese, usted no va a estar nunca satisfecha. Me va a matar

111

de todas maneras. Así que máteme. No voy a seguir permitiendo que una mujer loca me trate de esta manera vergonzosa. Si quiere matarme, máteme. Sepa, eso sí, que mata a un hombre inocente.

PAULINA

Ocho.

ROBERTO

Así que seguimos en la violencia, siempre en la violencia. Ayer a usted le hicieron cosas terribles y ahora usted me hace cosas terribles a mí y mañana... más y más y más. Yo tengo niños... dos hijos, una mujercita... Qué tienen que hacer ellos, pasarse quince años buscándola y cuando la encuentren ellos...

PAULINA

Nueve.

ROBERTO

Ay, Paulina... ¿No te parece que es hora de terminar de una vez?

PAULINA

Y por qué tengo que ser yo la que se sacrifica ¿eh?, yo la que tengo que morderme la lengua, siempre nosotros los que hacemos las concesiones cuando hay que conceder, ¿por qué, por qué? Esta vez no. Uno, uno, aunque no fuera más que uno, hacer justicia con uno. ¿Qué se pierde? ¿Qué se pierde con matar aunque no fuera más que uno? ¿Qué se pierde? ¿Qué se pierde?

*(Van bajando las luces y quedan Paulina y Roberto, en la penunbra, ella apuntándolo a él y antes de que hayan bajado del todo, empieza a escucharse una música de cuarteto. Es el último movimiento del cuarteto Disonante de Mozart. Paulina y Roberto van siendo tapados por un espejo gigante que le devuelve a los espectadores su propia imagen. Durante un largo rato, mientras oyen el cuarteto de Mozart, los espectadores simplemente miran su propia imagen en el espejo.)*

## Escena 2

*Lenta o bruscamente, según los recursos de que se dispongan, el espejo se transforma en una sala de conciertos. Han pasado varios meses. Es de noche. Aparecen Gerardo y Paulina, ambos vestidos de forma elegante. Se sientan entre los espectadores y de espaldas a ellos, sea en dos butacas del mismo público o en sillas que se colocan frente al espejo, viéndose sus caras. También es posible, aunque no recomendable, que las sillas estén colocadas de cara al público. Se escuchan por debajo de la música algunos sonidos típicos de un concierto: carrasperas, una tos aislada, un aletear de programas, hasta alguna respiración entrecortada. Al llegar a su final la música, Gerardo empieza a aplaudir y se escucha un aplauso que va creciendo entre lo que evidentemente es el público presente. Paulina no aplaude. Los aplausos empiezan a disminuir hasta que desaparecen del todo y se oyen los*

115

*ruidos habituales de una sala de conciertos cuando se*
*termina parte del programa: Más carrasperas, murmu-*
*llos de los espectadores, cuerpos que se mueven hacia el*
*foyer. Empiezan los dos a salir, saludando gente, dete-*
*niéndose a charlar de pronto. Se alejan de sus asientos y*
*avanzan por un foyer imaginario que está aparentemen-*
*te lleno de espectadores. Se oyen cuchicheos, se ve humo*
*que sale de cigarrillos, etc. Gerardo se pone  hablar con*
*miembros del público, como si asistieran al concierto.*

GERARDO
*(en forma íntima, a diversos espectadores):*
Gracias, muchas gracias. Sí, quedamos bastante con-
tentos con el Informe...*(Paulina va yéndose hacia un*
*lado, donde está instalado un puesto de venta. Gerardo*
*seguirá hablando con quienes lo rodean hasta que ella*
*vuelva)* Se está actuando con una gran generosidad,
sin ningún ánimo de venganza personal. Mira, te voy
a decir cuándo supe que la Comisión de veras iba a
ayudarnos a sanar las heridas del pasado. Fue el primer día de nuestra investigación. Se acercó a dar su
testimonio una señora de edad, Magdalena Suárez,
creo que se llamaba, tímida, hasta desconfiada.
Empezó a hablar de pie. "Siéntese", le dijo el
Presidente de la Comisión y le ofreció una silla. La
señora se sentó, y se puso a llorar. Después nos miró
y nos dijo: "Es la primera vez, señor", nos dijo —su

marido estaba desaparecido hace nueve años, y había hecho miles de trámites, miles de horas de espera—, "Es la primera vez", nos dijo, "en todos estos años, señor, que alguien me ofrece sentarme". Imagínate lo que es que te traten durante años de loca y mentirosa y de pronto eres otra vez un ser humano, contando tu historia para que todos la puedan escuchar. No podemos devolverle el marido muerto, pero podemos devolverle su dignidad; que por lo demás ella nunca perdió. Eso sí que no tiene precio. *(Suena una campana que indica que está por recomenzar el concierto)* Bueno, los asesinos... ya sabía que me lo ibas a preguntar... Mira, aunque no sepamos, en muchos casos, sus nombres, o no podamos revelarlos... *(Paulina ha seleccionado unos dulces, paga, vuelve a juntarse con Gerardo. Entra Roberto en una luz levemente distinta, con cierta dualidad casi fantasmagórica, como de luna. Ella todavía no lo ve. Roberto se queda contemplando a Paulina y a Gerardo desde lejos).* Ah, Paulineta linda, justo a tiempo. Bueno, viejito, a ver si nos tomamos unos tragos en casa, ahora que estoy más libre. La Pau hace un pisco sour que es de miedo.

*(Se sientan. Roberto los sigue. Se sientan en un extremo de la misma fila, mirando siempre a Paulina. Se escuchan aplausos al entrar los músicos. Unos breves acordes para templar los instrumentos. Empieza a oírse La*

Muerte y la Doncella. *Gerardo mira a Paulina, que mira al frente. El le toma la mano y entonces, sin soltársela, comienza a mirar también al frente. Después de unos instantes, ella se da la vuelta lentamente y mira a Roberto, que la está mirando. Se quedan así durante unos instantes. Después ella vuelve y mira al frente. Roberto sigue mirándola. Las luces bajan mientras la música toca y toca y toca.*

# INDICE